D0561445

Lustucru au pays des vampires

Une histoire écrite par
Ben
et illustrée par
Sampar

À tous les rêveurs… vampires compris !
Ben

cheval
masqué

Catalogage avant publication de Bibliothèque et Archives nationales du Québec et Bibliothèque et Archives Canada

Ben, 1972-

      Lustucru au pays des vampires

      (Cheval masqué. Au trot)
      Pour enfants de 6 à 10 ans.

      ISBN 978-2-89579-256-7

      I. Sampar. II. Titre. III. Collection: Cheval masqué. Au trot.

PS8603.E756L872 2009   jC843'.6   C2009-940991-7
PS9603.E756L872 2009

Nous reconnaissons l'aide financière du gouvernement du Canada par l'entremise du Programme d'aide au développement de l'industrie de l'édition (PADIÉ) pour nos activités d'édition.

Conseil des Arts   **Canada Council**
du Canada   **for the Arts**

Bayard Canada Livres inc. remercie le Conseil des Arts du Canada du soutien accordé à son programme d'édition dans le cadre du Programme des subventions globales aux éditeurs.

Cet ouvrage a été publié avec le soutien de la SODEC.
Gouvernement du Québec – Programme de crédit d'impôt pour l'édition de livres – Gestion SODEC.

Dépôts légaux – 3e trimestre 2009
Bibliothèque et Archives nationales du Québec
Bibliothèque et Archives Canada

Direction : Andrée-Anne Gratton
Graphisme : Janou-Ève LeGuerrier
Révision : Sophie Sainte-Marie

Chapitre 1
GROSSE BÊTISE

BADABOUM!

Lustucru jaillit de l'atelier de son père. Une fumée brunâtre l'enveloppe, et une coulée dégoûtante le suit de près. Lustucru saute dans sa fusée et fonce vers la planète Coconotte.

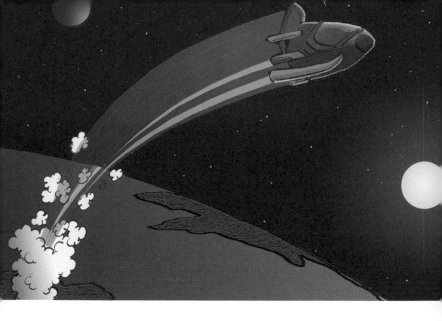

Son engin voyage plus vite qu'un pet de dinosaure, plus vite qu'un atchoum de monstre, et même plus vite que le tapis volant d'Ali Popov, son héros préféré.

Arrivé à destination, Lustucru manœuvre pour atterrir en douceur. PCHIIIIIUUUUU ! PROUTT !

Lustucru retrouve Coconutien, seul habitant de la planète, le nez plongé dans un livre.

— Salut, Coco! Toujours en train de lire des trucs incroyables, du genre *Les Plumoux m'apprennent à jongler*?

— Ah! ah! Lustucru, mon terrien préféré! Qu'est-ce que tu fais ici? Ne me dis pas que tu as encore commis des bêtises en fabriquant une bombe puante?

— Ce serait plutôt une bombe... gluante! Je pense que j'ai mis un peu trop de jus de poubelle...

Coconutien referme son livre, s'étire et suggère:

— Allons nous promener! Je ne suis pas sorti depuis des jours.

— Bonne idée!

LE CHÂTEAU SANS PORTE

Après avoir ouvert le coffre aux mille et un voyages, Coconutien en retire délicatement son livre magique. Lustucru supplie son ami:

— Est-ce que je peux souffler?

— Si ça te fait plaisir…

Lustucru formule vite un vœu, puis souffle de toutes ses forces.

Une poussière rouge vif monte jusqu'au plafond avant de retomber dans la bourse de Coconutien, comme par magie. Coconutien s'inquiète :

— Tu n'as pas songé à quelque chose de trop horrible, j'espère…

— Euh…

Mais il est trop tard pour revenir en arrière, Lustucru a déjà ouvert le livre. Un pas en avant et hop! il est aspiré. Coconutien s'engouffre à son tour dans l'ouvrage.

Les voyageurs se retrouvent devant un château hérissé d'une multitude de gargouilles*.

Les deux amis frissonnent à la vue de ces monstres, dont plusieurs ressemblent à des chauves-souris.

En faisant le tour du château, Lustucru s'exclame :

— As-tu vu ? Il n'y a aucune porte !

* Petites sculptures qui représentent souvent des monstres et qui servent à l'écoulement de l'eau.

9

— Étrange ! Qui peut bien habiter ici ?

Lustucru lève les yeux et aperçoit, très haut dans le ciel, une série de points noirs. Mis bout à bout, ces points ressemblent à un long serpent ondulant dans l'air. Au fur et à mesure que la chose se rapproche, Lustucru en distingue mieux les détails. Ce sont des milliers de chauves-souris qui volent en harmonie. Elles pénètrent dans le château par de petites ouvertures aménagées dans le haut des murs.

Lustucru se tourne vers Coconutien.

— Vois-tu la même chose que moi ?

— Oui, et ça m'inquiète ! répond Coconutien.

Son ami le rassure :

— Courage ! Nous allons percer le secret de ce château.

Coconutien scrute les murs extérieurs, cherchant une manière de rejoindre l'une des entrées empruntées par les chauves-souris.

Pendant ce temps, Lustucru repère une longue corde munie d'un crochet. Il le catapulte vers une ouverture.

Coconutien commence à grimper, suivi de près par Lustucru.

À l'intérieur du château, ils se retrouvent en haut d'un escalier en colimaçon. Lustucru fronce les sourcils :

— Un escalier pour des chauves-souris ? Bizarre !

Les deux comparses s'engagent dans l'escalier. Celui-ci est interminable ! Coconutien est de plus en plus étourdi par les marches qui n'en finissent plus de défiler.

La tête lui tourne. Soudain, il perd pied et déboule. Il disparaît immédiatement au bas de l'escalier, comme s'il avait été avalé par un gigantesque escargot.

Lustucru crie de toutes ses forces :

— CO-CO-NU-TIEN !

Mais seul l'écho lui répond :

— Tien, tien, tien, tien…

Le jeune aventurier accélère sa descente tant qu'il le peut. Quelques minutes plus tard, à bout de souffle, il atteint le pied de l'escalier.

Une immense pièce l'attend. Elle est vide, à l'exception d'une très longue table entourée de plusieurs chaises.

Pas de Coconutien en vue…

Lustucru analyse la situation.
« Des chaises pour chauves-souris ?
Curieux… Il doit bien y avoir d'autres
habitants dans ce château, même si
je comprends mal par où ils pourraient
entrer. Quant à Coconutien, eh bien, il a
disparu, comme par enchantement. »

Soudain, Lustucru entend un léger bruissement au plafond. Il lève la tête.

Ce qu'il découvre le pétrifie.

3

UN DÎNER OBLIGÉ

Une multitude de chauves-souris tournoient au-dessus de Lustucru. Par réflexe, le garçon se protège la tête avec les bras.

Dans un tourbillon de lumière, les bestioles volantes se métamorphosent en de longs et minces vampires au visage blême et aux dents ensanglantées.

Lustucru songe : « Ouille ouille ouille, je vais me faire vider de mon sang ! »

Autour de lui, une quarantaine de vampires forment un cercle.

Le plus petit d'entre eux s'avance et déclare d'une voix profonde :

— Bienvenue, noble visiteur, dans notre modeste demeure. Joignez-vous à nous. Le repas sera bientôt servi.

— Euh, me… me… merci, je ne suis pas très en appétit, je sors tout juste de table.

— J'insiste. Restez donc, puisque vous êtes ici.

Lustucru cherche une excuse, mais la peur lui glace l'esprit. Il murmure :

— Comment refuser ?

Le chef des vampires lui tend une chaise.

— Prenez place.

Après d'interminables minutes d'attente, des serviteurs apportent de profonds gobelets d'argent. En tremblant, Lustucru saisit celui qu'on lui présente. Le garçon serre les dents et examine le contenu du gobelet. Le liquide est rouge !

Lustucru est au bord des larmes. « C'est sûrement le sang de mon meilleur ami ! Je ne me pardonnerai jamais de l'avoir amené ici ! Je dois vite quitter cette pièce. »

— Euh… excusez-moi, puis-je utiliser vos toilettes ?

Le vampire en chef montre une porte du doigt.

— C'est à gauche, juste après les cuisines. Laissez-vous guider par l'odeur exquise du boudin qui mijote !

— Merci, bredouille Lustucru.

« Du boudin de Coconutien, oui ! Bande de sauvages ! »

Le garçon quitte la pièce en toute

hâte. Dans le couloir, une horrible odeur lui indique le chemin à suivre.

En passant devant l'entrée de la cuisine, Lustucru jette un coup d'œil à l'intérieur. Et s'il retrouvait Coconutien vidé de son sang et ratatiné comme un raisin sec ? Mais il ne voit que deux cuisiniers affairés à brasser une immense marmite… de sang !

Un peu plus loin, par une porte entrebâillée, il aperçoit deux pieds au bout d'une civière. Sur la porte, une croix rouge révèle qu'il s'agit probablement de l'infirmerie. Rien d'anormal, sauf un détail qui retient son attention : les pieds ne possèdent que deux orteils. Il sursaute :

— Mais ce sont les pieds de Coco-nutien ! Oh non ! Est-il mort ?

Chapitre 4

LA FUITE RATÉE

Par chance, Coconutien est seulement évanoui. Lustucru, heureux de retrouver son ami en vie, le secoue comme un vieux tapis.

— Réveille-toi, Coco, il faut fuir. Ce château est infesté de vampires.

Les yeux de Coconutien s'ouvrent enfin. Il sourit en voyant le visage de Lustucru.

— Tu es vraiment blême, Lustucru. On jurerait que tu as vu un vampire !

— Pas UN vampire, une colonie entière ! Debout, suis-moi…

Les voyageurs s'enfuient à toutes jambes dans les corridors du château.

Après quelques minutes, Coconutien s'arrête et dit :

— Nous sommes perdus.

Lustucru regarde autour de lui.

— Si on entrait dans cette pièce ? propose-t-il.

En entrebâillant la porte, Lustucru remarque un courant d'air.

— Sens-tu ce vent, Coco ? Je crois que nous avons découvert une piste.

— …

BANG !

La porte s'est ouverte en claquant. Un vampire bien dodu apparaît. Il zigzague dangereusement en portant un baril de bois. Les deux explorateurs sont figés sur place.

Le vampire a plutôt l'air inoffensif. Lustucru s'avance vers lui.

— Euh… Pardon, Monsieur…

— Ah ! Bonjouwr… voulez-vous boiwre un p'tit coup ? Hips ! Je twranspowrte ce suwrplus de sang… hips ! Pas mal du… hips !

Lustucru répond :

— Non merci, nous cherchons plutôt un passage pour sortir d'ici.

— Ah! Un passage... Il y en a plein ici des... hips! Vous n'êtes pas twrès gwros... Vous passewrez bien pawr l'entwrée de la nouwrrituwre... c'est au fond de la... hips! de la pièce...

Le drôle de vampire indique un tunnel étroit au pied d'un mur. C'est de là que provient le courant d'air.

Lustucru chuchote à l'oreille de Coconutien :

— Je crois qu'il a trop bu de sang, il ne sait plus ce qu'il raconte...

Soudain, des bruits de pas et des voix se font entendre derrière le vampire ivre. Coconutien jette un regard inquiet à son ami.

— Vite, le tunnel! crie-t-il.

Les deux amis s'engouffrent dans le passage étroit. La lumière et l'air frais du dehors leur redonnent espoir.

— Coco, nous serons bientôt libres. BZZZZZZ!

— Lustucru, c'est quoi, ce bourdonnement? Vois-tu d'où il vient?

Le garçon répond:

— Non, tout est devenu sombre. On dirait que quelque chose bloque la sortie. Zut! Attends, ça se rappro…

BZZZZZZZ!

Coconutien rouspète :

— Arrête, Lustucru, tu me pousses !
Avance, plutôt !

— Mais je ne peux pas, les bestioles
m'en empêchent…

BZZZZZZZ!

29

— Hein ? Quelles bestioles ? Des chauves-souris ?

BZZZZZZZZ !

Lustucru bouscule Coconutien en criant à tue-tête :

— Au secours ! Elles m'emportent !

BZZZZZZZZ !

Poussés par un nuage de moustiques géants, les camarades sont ramenés de force à l'intérieur du château.

DU SANG ÉQUITABLE

Le vampire en chef est penché sur les visages de Lustucru et Coconutien.

— Auriez-vous l'obligeance, chers amis, de m'expliquer ce que vous faites dans notre garde-manger ?

Coconutien ne comprend plus rien.

— Votre garde-manger ?

Lustucru, pour sa part, est furieux.

— Ah non! ça suffit, maintenant! Si vous devez nous dévorer, faites-le et cessez de prendre vos grands airs!

Le vampire se tourne vers ses semblables avec un rire moqueur.

— Ah! ah! ah! Quels délicieux personnages, n'est-ce pas? Je crois que nous devons quelques explications à nos hôtes.

La colère de Lustucru redouble.

— Des explications? Mais tout est très clair! Vous voulez notre sang! Bande de… zombies pourris!

Le vampire en chef reprend la parole.

— Ah! je vois! Monsieur est un amateur d'histoires de méchants vampires! Eh bien! Plutôt que de lire des sottises, vous feriez mieux de vous intéresser à la VRAIE science des vampires! Tout d'abord, sachez que je suis le baron Voulten, maître de ces lieux et descendant d'une longue lignée de buveurs de sang équitable!

Coconutien ne peut s'empêcher d'intervenir.

— Vous trouvez ça équitable, vous, de massacrer de pauvres innocents rien que pour assouvir votre soif?

— Ah! ah! C'est là que vous vous trompez. Sachez que, malgré les nombreuses légendes, les vampires ne se nourrissent que du sang des moustiques et non pas de celui de grosses bêtes comme vous!

— Vous voulez dire que tout ce sang ne provient que des moustiques?

— En quelque sorte! Mais aussi de vous, puisqu'ils vous piquent parfois! Pour notre part, nous nous chargeons simplement de les attirer. Il ne nous reste ensuite qu'à siphonner leur sang! Nous sommes d'ailleurs très fiers de notre machine à siphonner les moustiques! Elle n'en abîme aucun! C'est pacifique et... écologique!

Lustucru et Coconutien poussent un énorme soupir.

Ils comprennent alors leur méprise. Ceux qu'ils avaient pris pour des monstres n'étaient en réalité que de gentils buveurs de sang!

La journée, qui avait commencé dans la peur, se termine dans la joie et avec une grande fête. Tout le monde joue à la cachette-vampire, au plus grand buveur de sang et au concours de vitesse de métamorphose.

Au moment de quitter le pays des vampires, les deux héros regrettent presque de ne pouvoir rester plus longtemps. Mais il est près de minuit et, comme le leur explique le baron:

— Aux douze coups de minuit, nous

nous transformons en chauves-souris.
C'est ainsi depuis une éternité. Pour
éviter les cauchemars, nous devons
dormir la tête en bas!

Lustucru et Coconutien font leurs adieux à leurs nouveaux amis. Puis Coconutien jette une poignée de poussière magique dans les airs. Immédiatement, les deux amis reviennent sur Coconotte, devant le grand livre.

Lustucru salue son ami, remonte dans sa fusée et retourne sur Terre, où une petite corvée de ménage l'attend dans le garage de son père!

FIN

Voici les livres Au trot de la collection:

Lesquels as-tu lus? ☑

564114